Y Gofod

Gan Sarah Powell

Dyluniwyd gan Nicola Friggens

a Katherine Radcliffe

Addasiad Cymraeg

gan Bethan Mair

Mae'r Bydysawd mor **fawr** nes ein drysu. Mae'n cynnwys popeth sy'n bodoli – pob darn o lwch, pob craig, planed, galaeth a Chysawd yr Haul. Mae'n anodd dychmygu pa mor fawr yw'r Bydysawd, oherwydd rydyn ni'n meddwl. ei fod yn **ddiderfyn**, neu byth yn gorffen, ac yn cynnwys mwy o sêr nag y gall **neb** eu cyfri.

Dyma nebiwla, lle bydd sêr a galaethau newydd yn cael eu gwneud

Mae'r piler enfawr hwn yn y gofod wedi'i wneud o hydrogen a llwch

Y Bydysawd

Y Llwybr Llaethog

Mae galaethau o bob
siâp a maint i'w cael.
Dyma un droellog

Mae pobl yn
meddwl bod
twll du yn y canol

Dyma ni!

Dim ond un allan o'r **biliynau** o alaethau yn y **Bydysawd** yw'r Llwybr Llaethog, a dyma ble mae **Cysawd ein Haul** ni. Galaeth **droellog** yw'r enw arni, oherwydd ei siâp, ac mae'n cynnwys 200–400 biliwn o sêr (fel yr Haul), a thua **50 biliwn** o blanedau!

Yr Haul

Mercher

Agosaf at
yr Haul

Mae gwregys
asteroidau rhwng
Mawrth ac Iau

Gwener

Dyma'r blaned
fwyaf poeth

Lle
perffaith
i fyw

Y Ddaear

Mawrth

Mae llosgfynydd
arni sy'n fwy
nag Everest

Ein cartref ni yw Cysawd yr Haul.
Yr Haul yw canol y Cysawd, ac mae
popeth arall yn troi o'i gwmpas. Mae
cyfanswm o wyth planed yma, ac mae
gan rai ohonyn nhw eu lleuadau eu hunain.
Mae pump planed fach hefyd, gan gynnwys
Plwton. Y Ddaear yw'r drydedd planed o'r Haul,
a Neifion sydd bellaf i ffwrdd o'r Haul.

CySawd yr Haul

Iau

Y blaned fwyaf

wranws

Mae'r gwynt yn chwythu 1,200 milltir (1,930 km) yr awr yma

Mae ganddi 27 lleuad

Sadwrn

Cylchoedd o iâ a llwch

Tan yn ddiweddar iawn, roedd naw planed yng Nghysawd ein Haul ni. Ond yn 2006 penderfynodd gwyddonwyr newid statws Plwton. Planed fach, neu gorblaned, yw Plwton nawr, druan!

Neifion

Er ei bod yn `llai` na rhai o'r lleuadau yng Nghysawd yr Haul, Mercher yw'r blaned sydd `agosaf` at yr haul. Mae'n edrych yn debyg i wyneb ein Lleuad ni, ac mae'n llawn o `dyllau` gafodd eu gwneud pan fwriodd `asteroidau` enfawr i mewn iddo. Mae Mercher mor ddwys nes bod ei chanol wedi'i wneud o haearn `poeth` pur!

← Gwres o'r Haul

Lle bydd Mercher yn wynebu'r Haul, mae hi 10 gwaith yn boethach na'r Ddaear

Ffeithiau pwysig:
Trefn o'r Haul: 1af
Maint: Lleiaf
Sawl lleuad: 0
Math: Planed ddaearol

Ar y blaned Mercher mae un o'r craterau asteroid mwyaf yng Nghysawd yr Haul

Mercher

Gwener

Roedd pobl yn arfer meddwl bod Gwener yn debyg i'r Ddaear ac efallai fod **bywyd** arni, ond mewn gwirionedd, dyma'r blaned fwyaf **anghyfeillgar** yng Nghysawd yr Haul! Mae'r **tymheredd** ar yr wyneb mor boeth nes toddi plwm. **Carbon deuocsid** yw'r rhan fwyaf o'r aer yno, ac mae haenau o gymylau **asid** sylffwrig yn ei hatmosffer.

Gwener yw'r blaned fwyaf llachar yn yr awyr

Weithiau bydd yn cael ei galw'n 'chwaer blaned' i'r Ddaear

Mae Gwener tua 400 milltir (644 km) yn llai na'r Ddaear ar ei thraws

Ffeithiau pwysig:
Trefn o'r Haul: 2il
Maint: Bron yr un maint â'r Ddaear
Sawl lleuad: 0
Math: Planed ddaearol

Y Ddaear

Y Ddaear yw'r unig blaned yng Nghysawd yr Haul lle rydyn ni'n gwybod bod **bywyd** i'w gael. Oherwydd y moroedd sydd dros y rhan fwyaf o wyneb y Ddaear, caiff ei galw'n **Blaned Las.** Bydd y Ddaear yn cymryd **24 awr** i droi ar ei hechel, gan roi dydd a nos i ni, a **365 diwrnod** i fynd o gwmpas yr Haul, gan roi'r pedwar **tymor** i ni.

Mae'r haenen osôn yn ein gwarchod rhag cael niwed gan belydrau'r Haul

Mae'r Lleuad yn troi o gwmpas y Ddaear

Mae moroedd yn gorchuddio 70% o wyneb y Ddaear

Ffeithiau pwysig:

Trefn o'r Haul: 3ydd

Maint: 5ed mwyaf

Sawl lleuad: 1

Math: planed ddaearol

Mawrth

Mae Mawrth yn goch oherwydd bod haearn ar ei hwyneb

Enw arall ar y Blaned Mawrth yw'r **Blaned Goch.** Dyma'r blaned sydd fwyaf tebyg i'r Ddaear, er ei bod hi'n **oer** iawn yma gan fod y blaned yn bellach oddi wrth yr Haul. Mae gwyddonwyr wedi dod o hyd i **iâ** o dan yr wyneb yma. Efallai fod hyn yn arwydd bod **bywyd** yma unwaith! Gobeithio y bydd pobl yn gallu glanio ar Fawrth rywbryd.

Mae'r wyneb yn llawn o gymoedd, tyllau a mynyddoedd enfawr.

Ar draws y canol, mae Hafn Fawr Mawrth, sy'n 1,864 milltir (3,000 km) o hyd

Ffeithiau pwysig:
Trefn o'r Haul: 4ydd
Maint: hanner maint y Ddaear
Sawl lleuad: 2
Math: Planed ddaearol

Ar 19 Tachwedd 1971, y llong ofod gyntaf i gylchdroi o gwmpas planed arall oedd y Mariner 9, a Mawrth oedd honno! Anfonwyd lluniau a gwybodaeth gyffrous yn ôl i'r Ddaear.

Iau

Mae Iau yn blaned stormus iawn lle bydd gwyntoedd yn chwythu dros 400 m.y.a (644 km.y.a)

Mae cymylau trwchus coch, brown, melyn a gwyn yn gorchuddio'r blaned

Storm enfawr, dros dair gwaith maint y Ddaear yw'r Smotyn Mawr Coch

Iau yw'r blaned **fwyaf** yng Nghysawd ein Haul. Mae **2.5 gwaith** yn fwy na'r holl blanedau eraill gyda'i gilydd! Mae wedi'i gwneud o **nwy** yn bennaf ac mae'n un o'r pedwar **cawr nwy**, gyda Sadwrn, Wranws a Neifion.

Pedair lleuad mwyaf Iau

Io   Ewropa   Ganymede   Calisto

Sadwrn yw'r **ail** blaned fwyaf yng Nghysawd yr Haul. Mae gan y blaned naw cylch hardd; gallwch eu gweld nhw drwy delesgop. **Iâ, creigiau a llwch** sydd yn y **cylchoedd**. Mae Sadwrn yn troi'n gyflym iawn ar ei hechel — dim ond **10 awr** yw hyd un diwrnod ar Sadwrn.

Sadwrn

Ffeithiau pwysig:

Trefn o'r Haul: 6ed
Maint: 764 x y Ddaear
Sawl lleuad: 62
Math: Cawr nwy

Mae rhai darnau o'r cylchoedd yr un maint â llwch, ond mae rhai mor fawr â mynyddoedd. Darnau bach o gomedau, asteroidau neu leuadau ydyn nhw.

Mae Wranws yn bell iawn i ffwrdd; pe baet ti'n teithio yno o'r Haul, dim ond hanner ffordd i Wranws fyddet ti wrth fynd heibio Sadwrn! Mae'n lle oer iawn gyda'r tymheredd yn disgyn i -371 °F (-224 °C) uwchben yr haen o gwmwl sydd o'i gwmpas. Dydyn ni ddim yn gwybod llawer am y blaned las, bell hon, a dirgelwch sydd o dan ei chymylau.

CYFEIRIAD TROI

Wranws yw'r unig blaned sy'n troi ar ei hochr

Nwy methan sy'n rhoi'r lliw glas

Wranws

Ffeithiau pwysig:
Trefn o'r Haul: 7fed
Maint: 60 x y Ddaear
Sawl lleuad: 27
Math: Cawr nwy

Dyma Titania, lleuad fwyaf Wranws. Mae'n mesur 980 milltir (1,577 km) ar draws.

Neifion

Ffeithiau pwysig:
Trefn o'r Haul: 8fed
Maint: 57 x y Ddaear
Sawl lleuad: 13
Math: Cawr nwy

Voyager 2 yw'r unig long ofod i fynd heibio'r blaned bell hon.

Oherwydd ei bod hi'n cymryd cymaint o amser i'r blaned fynd o gwmpas yr Haul, dim ond unwaith mae hi wedi cylchdroi rownd yr Haul ers iddi gael ei darganfod yn 1846.

Storm sydd mor fawr â'r Ddaear yw'r Smotyn Mawr Tywyll

Dyma'r blaned sydd **bellaf** oddi wrth yr Haul, ac mae'n gawr oer, **rhewllyd**. Mae'n lliw glas llachar oherwydd bod ganddi nwy **methan** a haenen o ddŵr sy'n arwain at **ganol solet** yr un maint â'r Ddaear, Mae'n cymryd **165 o flynyddoedd** i Neifion droi o gwmpas yr Haul, felly mae gaeaf yn para 40 mlynedd yma!

Yr enw am bobl sy'n edrych ar yr awyr yw seryddwyr.

Maen nhw'n defnyddio telesgopau i astudio'r awyr

ac edrych ar y planedau, y sêr a'r galaethau,

a digwyddiadau cosmig fel uwchnofâu.

Mae pobl wedi bod yn syllu ar y sêr

am filoedd o flynyddoedd.

Mae'n amhosib

dychmygu faint

o sêr sydd yn

y Bydysawd.

Dyma Seren y Gogledd
— y seren fwyaf
llachar yn yr awyr

Dyma glwstwr
sêr y Pladur

Ffeithiau pwysig:

Seren agosaf: Yr Haul

Nifer: Gormod i'w rhifo. Mae yna 200–400 miliwn o sêr yn y Llwybr Llaethog yn unig

Lliw: Gall sêr fod yn goch, yn wyn neu'n las. Mae lliw yn dangos gwres; coch yw'r oeraf.

Cafodd llawer o ddargynfyddiadau pwysicaf y gofod eu gwneud gan bobl oedd yn defnyddio sbienddrych

sêr

Yr Haul

Yr Haul yw'r **seren** sydd yng nghanol Cysawd ein Haul ni. Mae'n rhoi gwres a **golau** er mwyn i ni gael bywyd ar y Ddaear. Pêl fawr o nwy hydrogen a **helium** sy'n llosgi yw'r Haul. Mae'r tymheredd ar yr wyneb yn 9,932°F (5,500°C) Dyna **BOETH!** Mae diamedr yr Haul 109 gwaith yn fwy na'r Ddaear!

Enw'r niwl hwn yw'r corona

Gwynt solar yw enw'r egni sy'n dod o'r Haul

Y rhannau coch yw'r rhannau oeraf

Weithiau bydd egni'n ffrwydro allan o'r Haul

Ffeithiau pwysig:

Tymheredd yn y canol: Tua 15,000 gwaith yn fwy poeth na phopty!

Maint: 1.3 miliwn x y Ddaear

Oedran 4.5 biliwn o flynyddoedd

Disgyrchiant: 28 gwaith yn gryfach na'r Ddaear.

creigiau o'r Gofod

Mae'r twll yn 558 troedfedd (170m) o ddyfnder

Syrthiodd y meteoryn a tharo'r ddaear 50,000 o flynyddoedd yn ôl

Dyma dwll y Seren Wib yn Arizona, UDA

Torrodd y meteoryn wnaeth greu'r twll hwn oddi ar asteroid enfawr yn y gofod

Creigiau enwog o'r gofod

Asteroid Ida yw un o'r asteroidau mwyaf enwog. Mae mor fawr nes bod ganddo'i leuad ei hun!

Mae'n bosib gweld Comed Halley bob 75 mlynedd. Dyna'r unig gomed y byddi di'n debygol o'i gweld!

Mae'r gofod yn llawn o **greigiau** o bob maint a siâp: **comedau** rhewllyd, sy'n disgleirio wrth fynd o gwmpas yr Haul, **asteroidau** enfawr, yr un maint â phlaned, a sêr gwib sy'n gallu dod i mewn i **atmosffer** y Ddaear.

Lloerennau

Mae pobl wedi gwneud lloerennau sy'n **ddefnyddiol** iawn. Byddwn ni'n eu defnyddio i edrych ar y gofod ac ar ein **planed**. Wrth iddyn nhw droi o gwmpas y Ddaear byddan nhw'n anfon gwybodaeth yn ôl i **soseri** lloeren. Ers i'r lloeren gyntaf, Sputnik, gael ei lansio gan Rwsia yn 1957, mae **miloedd** o loerennau'n troi o gwmpas y Ddaear heddiw.

Bydd y soser gron yn derbyn negeseuon o'r gofod

Mae'r soser loeren hon ar y Ddaear, ac mae'n gallu siarad â lloerennau yn y gofod

Defnyddio lloerennau bob dydd

Teledu lloeren

Offer digidol

Y tywydd

Gwybod y ffordd

Y Lleuad

Lle **sych,** llychlyd heb ddim awyr yw'r Lleuad. Dros ei hwyneb, mae **pantiau** o'r enw craterau, gafodd eu gadael pan ffrwydrodd meteorynnau a sêr gwib i mewn iddi, ac mae hyn yn dal i ddigwydd heddiw! Disgyrchiant y Lleuad sy'n gwneud i'r **llanw a thrai** ddigwydd yn y môr ar y Ddaear. Dyma'r unig le yn y gofod y mae pobl wedi **glanio.**

Mae'r Lleuad yn cymryd 27 diwrnod, 7 awr, 43 munud a 11.6 eiliad i droi o gwmpas y Ddaear

Mae wyneb y Lleuad yn llawn o dyllau

Yn 1969, Neil Armstrong, gofodwr o America, oedd y dyn cyntaf i gerdded ar y Lleuad. Mae ôl ei droed o 1969 yn dal yno heddiw.

Y llong ofod, Lunar Module, aeth â dau ofodwr i wyneb y Lleuad ac yn ôl.

Mae'r Lleuad yn hen iawn — 4.5 biliwn o flynyddoedd oed!

Lloerennau lle bydd pobl yn byw yw gorsafoedd gofod. Maen nhw'n troi'n eithaf agos at y Ddaear. Gall gofodwyr fyw a **gweithio** yn y gofod am amser **hir** yma a bydd llongau gofod eraill yn glanio arnynt hefyd. Yr orsaf ofod fwyaf, a'r un sydd wedi bod yn gweithio ers yr amser hiraf, yw'r **Orsaf Ofod** Ryngwladol.

Mae wedi troi o gwmpas y Ddaear dros 55,000 o weithiau

Breichiau solar yn helpu i roi egni i'r orsaf

Lansiwyd yn 1998

Mae'r orsaf tua'r un hyd â chae pêl-droed

Arni mae lle i fyw, campfa a labordai

Gorsaf Ofod

Archwilio Mawrth

Mae'r llong ofod fach hon wedi tynnu lluniau ardderchog o wyneb y blaned.

Cerbydau Rover

Yn Awst 2012, y cerbyd NASA Curiosity Rover oedd y diweddaraf i lanio ar Mawrth er mwyn archwilio'r wyneb, profi'r creigiau a gweld a fydd modd i bobl fyw yno ryw ddydd!

Mae'n bosib mai dŵr sydd wedi gwneud y pantiau hyn ar wyneb Mawrth

Yn y blynyddoedd diweddar mae llawer o **rocedi** wedi tanio **llongau gofod bach** a cherbydau i'r gofod er mwyn deall mwy am y blaned Mawrth. Glaniodd pedwar **cerbyd** yno a **chrwydro** ar yr wyneb. Maen nhw wedi tynnu dros **300,000** o luniau hyd yn hyn, ac wedi casglu llawer o wybodaeth am greigiau Mawrth.

Rocedi

Bydd pob taith i'r gofod yn dechrau yn y **ganolfan reoli,** lle bydd tîm o wyddonwyr a pheirianwyr yn paratoi i **lansio'r** roced i'r gofod. Maen nhw'n **tanio** rocedi enfawr ar lanfa. Bydd y rocedi'n cael digon o **egni** i godi i'r gofod, gan ddringo dros 1,000 o droedfeddi (300m) mewn **eiliadau.**

Mae'r rocedi nerthol yn medru saethu'n uchel i'r atmosffer

Y roced fwyaf erioed oedd Saturn V, oedd yn mesur dros 300 troedfedd (91 m)

Mae'r roced Falcon hon mor drwm â 12,000 pecyn o siwgr

Mae'r roced hon yn mesur 70 troedfedd (21m)

Canolfan Reoli

Y ganolfan reoli sy'n rheoli teithiau rocedi o'r Ddaear. Bydd timau o wyddonwyr, peirianwyr a rheolwyr hedfan yn dilyn taith roced o'r eiliad y bydd hi'n codi.

Gofodwyr

Dynion a merched **dewr** iawn sy'n mentro i'r gofod yw gofodwyr. Byddan nhw'n cael eu hanfon ar **deithiau** arbennig. Mae rhai gofodwyr wedi glanio ar y **Lleuad,** ac mae eraill yn gweithio ar **orsafoedd gofod** sy'n troi o gwmpas y Ddaear.

Tanc ocsigen

Helmed i ddiogelu'r pen

Ffeithiau pwysig:
Y cyntaf i'r gofod: Yuri Gagarin
Y cyntaf ar y Lleuad:
Neil Armstrong
Y cyfnod hiraf yn y gofod:
Valeri Polyakov, 438 diwrnod
Y mwyaf cyflym: gofodwyr Apollo 10, 36,440 troedfedd yr eiliad (1,107 metr yr eiliad)
Y nifer fwyaf o deithiau: Franklin Chang-Diaz, 7 tro yn y gofod

Mae'r gofodwr hwn allan am dro yn y gofod

Gwisg ofod

Mae'r tanc sydd ar y tu allan yn dal tanwydd ar gyfer y prif injan

Y tanwydd yn llosgi gan wneud cymylau mawr o fwg

Y Wennol Ofod oedd y **llong ofod** gyntaf i gael ei defnyddio fwy nag unwaith. Roedd hi'n cario lloerennau mawr allan i **gylchdroi'r** Ddaear. Roedd y Wennol yn saethu i'r gofod fel **roced,** yn cylchdroi'r Ddaear fel llong ofod ac yna'n glanio ar y Ddaear fel **awyren.** Byddai'n cario pobl ac offer i **orsafoedd gofod.**

Lansiodd NASA ei Gwennol Ofod olaf yn 2011

Mae'r bobl yn teithio yn y darn hwn

Gwennol Ofod

Gwyliau yn y gofod

Does dim disgyrchiant yn y gofod

Bydd tocyn am daith i'r gofod yn costio £125,000

Beth fynd am i'r gofod ar eich gwyliau nesaf? Mae'n bosib iawn, wrth i gwmnïau fel Virgin Galactic ddatblygu llongau gofod newydd i wneud hynny. Mae gwyddonwyr yn gobeithio y byddwn ni'n gallu defnyddio llongau gofod tebyg un diwrnod i deithio o un ochr y byd i'r llall mewn 3 awr!

Porthladd gofod

Mecsico Newydd fydd catref y porthladd gofod masnachol cyntaf.

Llinell Amser

1608
Hans Lippershey yn dyfeisio'r telescop. Mae Galileo'n gwella'r cynllun ac yn darganfod bod y Ddaear yn troi o gwmpas yr Haul

1687
Isaac Newton yn disgrifio'i ddamcaniaeth disgyrchiant

1846
Johann Galle yn darganfod Neifion

1949
Mwnciod yw'r mamaliaid cyntaf i hedfan i'r gofod

1682
Edmond Halley yn darganfod Comed Halley, sydd wedi cael ei henwi ar ei ôl

1781
William Herschel yn darganfod Wranws

1926
Robert Goddard yn lansio'r roced gyntaf i ddefnyddio tanwydd hylif

1957
Rwsia'n lansio'r lloeren gyntaf i'r gofod, gan ddechrau oes y gofod

1959
Rwsia ac America'n dechrau ras ofod i weld pwy fydd y cyntaf i lanio ar y Lleuad

1969
Yr Americanwr Neil Armstrong yw'r dyn cyntaf ar y Lleuad, gyda Buzz Aldrin yn ei ddilyn

2011
Diwedd rhaglen y Wennol Ofod gyda thaith Gwennol Ofod Atlantis

1990
Lansio Telesgop Gofod Hubble

1961
Y Rwsiad Yuri Gagarin yw'r dyn cyntaf yn y gofod

1977
Lansio llongau gofod i'r gofod pell

1998
Dechrau adeiladu'r Orsaf Ofod Ryngwladol

Y Dyfodol...
Beth am fynd am dro i'r gofod ar eich taith ofod bersonol chi?

Geirfa

Asteroid Craig neu blaned fechan sy'n troi o gwmpas yr Haul.

Echel Llinell syth ddychmygol y bydd rhywbeth yn troi o'i chwmpas.

Twll du Ardal yn y gofod o gwmpas rhywbeth bach ond dwys iawn, lle mae disgyrchiant mor gryf nes bod dim byd yn gallu dianc, hyd yn oed golau.

Clwstwr sêr Casgliad o sêr sydd wedi cael eu henwi gan seryddwyr ganrifoedd yn ôl oherwydd y ffordd maen nhw'n edrych.

Planed fach Planed lai sydd ddim yn cwrdd â'r gofynion er mwyn bod yn blaned swyddogol.

Cawr nwy Planed fawr yng Nghysawd yr Haul sydd wedi'i gwneud o nwy. Dyna Iau, Sadwrn, Wranws a Neifion.

Lleuad Rhywbeth sy'n troi o gwmpas rhywbeth arall yn y gofod, planed fel arfer.

Nebiwla Cwmwl o nwy a llwch. lle bydd galaethau newydd yn cael eu gwneud.